KB103789

나의 정원으로 초대

나의 정원으로 초대

발 행 | 2024년 7월 2일
공동저자 | 해피피치, 신수연, 전세현, 최은식, 달보드레
기획·디자인 | 꽃마리쌤
펴낸이 | 한건희
펴낸곳 | 주식회사 부크크
출판사등록 | 2014.07.15(제2014-16호)
주 소 | 서울 금천구 가산디지털1로 119, A동 305호
전 화 | 1670 - 8316
이메일 | info@bookk.co.kr

ISBN | 979-11-410-9214-6

www.bookk.co.kr

나의 정원으로 초대

오늘의 작가 5인

해피피치

신수연

전세현

최은식

달보드레

작가님들의

다정한 이야기를 담았습니다.

당신의 . 이야기가 . 책이 . 됩니다

쓸수록 힘이 나고,
매일매일 행복해지는
한 줄의 기록

당신의 . 기록이 . 책이 . 됩니다

차례

전지적 암환자 시점

국제건강관리사 자격 소지한 14년차 완치언니의 생생꿀팁

해피피치

해피피치

×

암이란 완치 후에도 평생 안고 가야 할 경계와 조심의 대상입니다. 누구나 언제든지 감기처럼 걸릴 수 있는 암이라지만 여전히 무시무시한 질병.. 그런 이유로 제 삶 0순위가 되어버린 건강에 대한 이야기를 나누려 해요. 이제 막연히 두려워만 말고, 차근차근 건강한 삶으로 나아가 보아요.

믿을 수 없어!!
건강했던 내 몸에 암이라니..

(1) 누구에게나 약하게 태어난 장기가 있다.

돌이켜보면 저는 강한 소화력에 비해 약한 생식기를 타고 났습니다. 초경을 시작한 이후로 극심한 생리통에 시달렸고, 외출 시 생리대를 10개 정도는 휴대해야 마음이 놓일 만큼 생리양이 많았습니다. 스트레스를 받으면 즉시 자궁에서는 강력한 SOS를 보내왔는데, 제가 20대이던 90년대만 해도 월경 전 증후군(PMS)나 자궁내막증에 대한 정보가 없었기 때문에 크게 문제라고 생각하지 못했고 치료의 골든타임을 놓쳤어요.

(2) 양학이 최선은 아니지만, 여성생식기 문제는 산부인과에서 먼저 풀자.

회사생활을 하면서 스트레스를 받자 문제는 더 커졌고, 2주 이상 수도를 틀어놓은 듯 하혈을 하였습니다. 저에게는 매우 큰 문제였는데, 집에서는 처녀가 산부인과를 갈 수 없다며, 한의원에 데려가 한약을 먹이셨어요. 한방이 나쁜 것은 아니지만 산부인과에서 가능적인 문제와 원인을 먼저 진단받고 하혈한만큼 철분이나 영양제를 충분히 보급하지 않은 것이 30대에 와서 암으로 진행되는 데 큰 영향을 주었다고 생각합니다. 정보의 부재와 문화적 편견이 작은 병을 크게 키운, 많이 아쉬운 사례입니다.

(3) 병이 낫지 않는다면 환자경험이 풍부한 의사에게 가자.

27세 결혼 후 하혈증상은 없어졌지만, 생리통과 비이상적 생리량은 여전했습니다. 어떤 날은 바지에 혈흔이 잔뜩 묻어 인간으로서 자존감이 낮아질 만큼 우울했습니다. 만성 빈혈은 만성피로를 만들고 약한 자궁은 임신이 힘들게 만들었습니다. 이렇듯 삶의 질을 크게 떨어뜨리는 질환을 가만두지 마시고, 개인병원이나 전문병원에서 찾지 못하는 원인을 좀 더 큰 병원에서 노련한 의사에게 찾아보시기 바랍니다. 저의 경우 자궁내막이 두꺼워져 생리량과 생리통에 문제가 왔다는 것을 대학병원에 가서야 알게 되었습니다. 문제증상이 생긴 후 4년만에 원인을 알았고 그에 합당한 처치를 비로소 받았습니다.

(4) 작은 신호도 놓치지 말자.

그 이후, 평화로운 나날을 지내던 중 생리기간이 아닌 데, 초콜릿 색깔의 분비물이 아주 약간 팬티에 묻어났습니다. 이 정도 양이라면 그냥 넘어가기 쉽지만, 만약을 위해 대학병원에서 검사를 받았는데요. 자궁근종으로 진단받아 자궁 안을 긁어내는 수술을 받았습니다. 떼어낸 두 개의 근종 중에서 암세포를 발견하고 천만다행으로 초기에 자궁내막암을 발견할 수 있었습니다. 암 진단은 무엇보다도 초기발견이 최고입니다. 이렇듯 작은 신호를 놓치지 않고, 자신의 몸에 조금 더 집중해보는 시간을 가져보면 어떨까요?

(5) 소화불량, 잦은 감기몸살, 낮은 체온, 극심한 피로감은 몸에 문제가 있다는 증거

저는 암 진단을 받기 몇 년 전부터 꾸준히 아팠습니다. 아침에는 간단한 식사만으로도 느끼한 기분이 가시지 않았습니다. 많은 암 환자들의 초기증상을 들어보면 대부분이 소화불량을 호소하였습니다. 병원에 갈 정도는 아닌데 뭔가 불편한 느낌, 느끼한 속, 멀미하는 느낌 말이죠.

기능적인 이상은 없는데 자꾸 우울했고 몸이 처졌고 극심한 피로감에 괴로웠습니다. 감기몸살이 자주 나서 동네병원 선생님이 왜 이리 자주 오냐며 핀잔을 주실 정도였습니다. 지금 생각해보면 낮아진 면역력, 낮아진 체온, 불균형한 영양, 소화불량, 숙면의 부재, 빈혈, 약한 자궁의 관리부실 등이 총체적으로 원인이 되어 건강이 악화된 것 같습니다.

암 진단으로 충격을 받았지만 한편으로는 내가 시름시름 아픈 이유를 정확히 알게 되어 속이 시원했습니다. 그 당시만 해도 암에 대해 무지했던 저는, 수술만 하면 깨끗이 낫는다는 아주 순수한 생각을 하고 있었기 때문입니다.

수술만 하면
끝인 줄 알았지??

(1) 암 환자는 수술이 시작이다.

수술이 끝나면 치료가 끝난 줄 아는 사람들이 많습니다. 저도 그랬고요. 하지만 힘든 수술 후에는 5년간 아무 일이 없어야 완치라는 판정을 받을 수 있습니다. 수술 후 1주일에 한 번씩 내원했고, 그 다음은 2주, 그 다음은 1달, 그 다음은 3달 정도로 내원기간이 늘어납니다. 국가에서 지정하는 중증환자의 혜택을 받는 5년 동안 방사선에 노출되는 각종 검사(CT MRI PET-CT)는 셀 수 없이 받아야 하고, 수술 부작용으로 림프절이 절제된 하반신 부분이 수시로 부었습니다.

하반신이 부어오르면 아랫배가 묵직하고 당기면서 특히 오른쪽 다리가 눈에 띄게 퉁퉁해졌어요. 오른쪽 발은 통통하게 부종이 오른 게 눈에 보일 정도였습니다. 정밀검사를 해보니 왼쪽보다 오른쪽 다리가 500ml (생수 한 병)의 수분을 더 머금고 있었습니다. 오랜 시간 앉아있기와 서있기가 불가능했습니다. 수술 후 간단하게 나을 것이라는 기대를 깨고 림프절 부종관리와의 전쟁이 시작되었습니다. 부종방지약 복용, 부종방지 압박스타킹 착용 등. 그 상세한 과정을 모두 말씀드리기는 힘들지만, 평범한 일상으로 돌아오는데 만 약 3여 년의 시간이 걸렸습니다.

(2) 주변 환경과 생활 습관을 바꾸는 것은 필수

수술 후 가스레인지를 철거하고 인덕션을 들였습니다. 산골에 들어가 살 수는 없기에 깨끗한 공기를 위해 최고 성능을 가진 공기청정기를 설치하였습니다. 또한 발암물질 이슈가 있는 식기들을 버리고 스테인리스 냄비, 프라이팬을 사용하였습니다. 신선한 미네랄이 살아있는 물을 위해 정수기도 샀죠. 이렇듯 건강을 잃으면 병원비 외에도 신경 쓰고 지출할 비용이 많아집니다. 어쩌면 평상시 건강관리가 최고의 재테크인지도 모르겠어요. 내 건강을 돈으로 환산하면 수십억의 가치가 있다고 합니다. 돈 버는 마음으로 건강을 관리해보아요.

식재료도 가능한 친환경 농산물을 사용하여 정성껏 만들어 먹었습니다. 암 환자에게 좋다는 야채수도 하루 3번 공복에 빠짐없이 7년을 마셨습니다. 7년이라는 기간동안 야채수가 질린다는 생각이 들지 않을 만큼 건강관리에 진심인 나날이었습니다. 모자란 영양분을 골고루 섭취하기 위해 원료와 제조공정을 엄선한 비타민을 꼬박꼬박 챙겨 먹었습니다.

(3) 적절한 건강공부를 꾸준히 하되 주변에 현혹되지 말자.

건강공부를 할수록 기존 세상은 건강과 거리가 먼 것들로 가득한 곳이었습니다. 장거리를 다닐 때는 내가 먹을 수 있는 음식이 거의 없어 불편했습니다. 대부분 수입산 밀가루나 나쁜 기름 범벅이니까요. 수술 직후에는 2~3년간 채식을 했고, 자극적인 음식을 지양하다 보니 외출 때마다 까다로운 사람이 되는 것 같아 마음이 편치 않았습니다. 미디어에는 건강지식이 넘쳐나고 현미식 과일채소식 저탄고지식 채식 등 서로 다른 의견이 진리인냥 주장하고 있기 때문에 혼란스러웠습니다. 무엇이 진실인지 분간이 가지 않았습니다.

저의 경우 2~3년간 채식 《 마이크로 바이오틱 《 8체질식 《 저탄고지 등으로 식단의 방향도 많이 바뀌었습니다. 모든 일이 그러하듯 자신의 몸에 맞는 음식은 본인만이 압니다. 저는 재발이 두려워 그 당시 유행하던 채식을 하면서 단백질을 멀리 하였는데, 머리카락이 많이 빠지고 활력이 부족했습니다. 건강한 단백질의 섭취가 중요함을 느끼고 지금은 단백질과 양질의 지방을 적극적으로 섭취하고 있습니다.

주변에서 특정 음식이나 영양제에 대한 권유를 많이 받으실 텐데요. 이 때 특히 주의할 점은 트렌드로 갓나온 음식이나 영양제 선택은 위험할 수 있습니다. 기본적으로 수십년간 이미 검증된 음식과 영양제를 선택하세요. 오랫동안 스테디셀러였던 제품과 브랜드를 애용하세요. 갑자기 혜성처럼 등장한 특별해 보이는 트렌디한 영양제는 쇠약한 암 환자에게 권하고 싶지 않습니다. 약한 내 몸으로 굳이 임상을 할 필요는 없습니다. 그보다는 초심을 지키며 기본에 충실한 것이 가장 좋습니다.

(4) 초심을 지키며 기본에만 충실하자.

무엇보다 중요한 건 충분한 수면과 수분섭취입니다. 너무 쉬워

서 허무한가요? 단언컨대 이 두 가지도 지키지 못하는 사람들이 넘쳐납니다. 헬스센터에서 권장하듯 2리터의 물을 마구 마시라는 게 아닙니다. 수시로 내 몸이 수분 부족에 시달리지 않도록 조금씩! 자주! 미네랄이 풍부한 양질의 물을 마십니다. 이때 중요한 것은 물을 마시면서 내 몸이 붓는지, 가뿐한 지 등의 컨디션을 수시로 민감하게 체크하는 것입니다. 사람에게 필요한 물의 양은 개인의 대사능력에 따라 다릅니다.

하루 7~8시간의 숙면은 병을 이겨내는 데 매우 중요합니다. 잠을 자는 동안에 우리 몸은 피를 만들고 뇌를 정화시키고 장기를 재생하며 중요한 시간을 보냅니다. 하루동안 부득이 만들어진 암세포를 정상세포로 돌려놓는 것도 이 시간에 이루어집니다. 몸이 회복과 충전을 하지 못하고 방치되는 일이 잦아지면 비로소 병이 생기는 것입니다.

새벽까지 잠들지 않고 물도 마시지 않으면서 항암에 좋다는 특별난 보약을 챙기는 건, 돈도 버리고 몸도 버리는 어리석은 행동입니다. 건강관리에 왕도는 없습니다. 이미 암세포가 자라기 쉬운 몸이 되었음을 인정하고 가장 깨끗하고 안전한 것만 내 몸에 채우겠다는 굳은 다짐이 필요합니다. 좋은 것을 플러스하기보다 나쁜 것을 마이너스 해보세요. 내 식생활의 장점과 단점을 리스트로 만들어보면 무엇을 개선해야 할지가 보일 겁니다.

또한 저명한 건강학자의 말에 모든 것을 내맡기지 마세요. 이것만 있으면 만병통치가 될 것처럼 마케팅하는 건강책도 참고만 하세요. 나의 환경과 상황에 맞게 건강지식도 잘 커스터마이징 하셔야 합니다. 그러려면 나만의 건강철학이 있어야 하고, 한쪽으로 치우치지 않은 건전한 건강상식이 동반되어야 합니다. 한동안 한국을 강타했던 현미채식도 안 맞는 사람이 있습니다. 저는 현미채식이나 과일야채식만을 고집하지 않아요. 저에게는 맞지 않는 건강법이라는 걸 몸으로 체험했기 때문입니다.

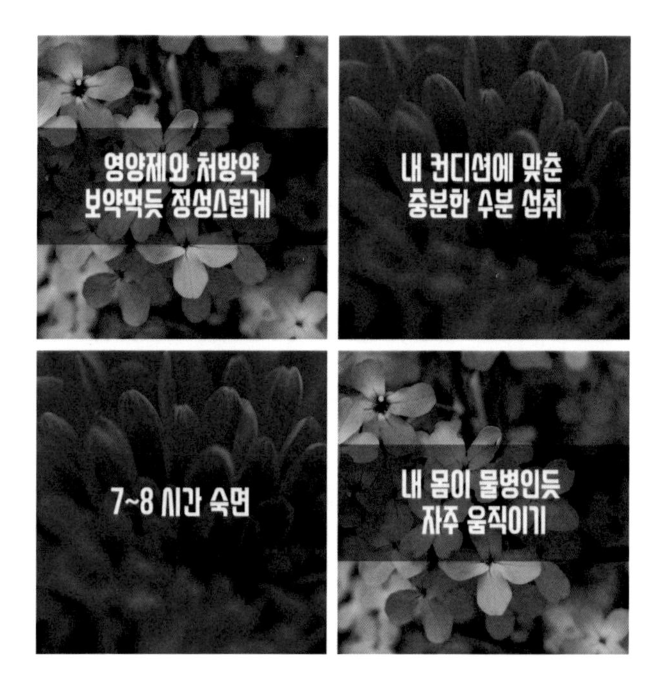

마음 편한 게 장땡!!
나를 편안하게 해주자

(1) 주치병원은 가까워야 하고 의료진은 편안해야 한다.

저는 울산에서 암 진단을 받았습니다. 지인들이 서울에서 재검사나 수술을 받으라고 권유했지만, 저는 망설임없이 울산대학병원을 주치병원으로 선택하였습니다. 우선 집에서 가까웠기 때문에 입원시에도 통원시에도 무척 편했습니다. 울산에서 서울로 교통수단을 이용해 장거리를 다니는 것은 생각만해도 피곤했어요. 이동에 쏟는 에너지와 몸의 데미지를 아껴 치료에 전념하고 싶었습니다. 그 결정은 지금도 크게 만족하는 부분입니다. 초기 암환자들은 수시로 내 집 드나들듯 내원해야 하는데, 먼 곳이었다면 많이 힘들었을 겁니다.

저는 운이 좋게도 자궁내막증을 찾아내 준 주치의에게 암 수술을 받았습니다. 오랫동안 고생했던 증상의 원인을 찾아준 것도 신통한데 마음은 더 고운 의사 선생님이었습니다. 특진교수임에도 항상 충분한 설명과 환자를 많이 아낀다는 마음이 느껴졌습니다. 배에 남은 수술자국이 잘 지워질 수 있도록 챙겨주고, 남편이 케어를 잘 해주는지 등을 물어봐 주시던 따뜻한 분이었습니다.

의사선생님의 짝꿍 간호사님도 너무 친절하셨는데, 항상 스몰토크로 안부를 물어봐 주고 토닥여주는 고마운 분이었습니다. 사실 의료진의 성격은 복불복이지만, 매번 의료진의 불친절함에 기분이 상한다면 저는 용기를 내어 다른 병원도 고려해 볼 것 같습니다. 또한 병원자체에서 풍기는 분위기나 시스템, 직원들의 친절도도 무시하지 못할 환자의 복지입니다. 병원을 선택하실 때는 꼭 부동산에서 내 집 구하듯 신중하게 결정하시기 바랍니다.

(2) 암진단의 충격에서 벗어나는 법

마음에 드는 병원과 의료진이라도 한 가지 힘든 점이 있었습니다. 암 선고를 받은 그 장소에서 진료를 본다는 점이었습니다. 저는 암이라는 이야기를 주치의 선생님의 진료실에서 들었는데, 그 이후 내원할 때마다 고통스러운 기억이 떠올라 힘들었습니다. 암 선고 직후 진료실 복도에서 당황해 서류와 가방을 떨어뜨리고 넋이 나가 있었는데, 간호사 선생님이 정신 차리라며 붙잡아주던 기억이 납니다. 그 같은 기억을 리플레이하지 않도록 병원 공간이 허락된다면, 암 선고와 진료공간을 분리해주시면 좋겠습니다.

또한 암 선고 당시의 충격과 두려움을 허심탄회하게 말할 곳을 찾아보는 것도 좋아요. 같은 암 환우모임이나 암 경험이 있는 친구, 혹은 전문가와의 상담을 통해 아팠던 순간 감정의 찌꺼기들을 적극적으로 털어내기 바랍니다. 제 경험상 부모님은 너무 가슴 아파하고 지인들 또한 대화 주제를 전환하더라구요. 너무 마음 아파하지 않을만한 적절한 거리의 대화 대상이 있다면 좋겠습니다.

(3) 환자만 아는 절대공포!! 재발의 두려움 떨쳐내는 법

매번 피를 뽑거나 무시무시한 기계 안에 들어가 검사를 받는 일은 고역입니다. 무엇보다 검사 후 일주일간 검사결과를 받는 일이 큰 스트레스였어요. 일주일간 재발이라도 할까 무서워 벌벌 떠는 일이 반복되었습니다. 그 마음을 남편에게 털어놓았더니, 저에게 이런 말을 해 주었습니다. 그동안 열심히 관리한 것에 대한 칭찬을 받으러 가는 거라고 생각해보면 어떠냐고요. 생각해보니 건강관리에 나름 최선을 다했으니 어떤 결과에도 여한은 없겠다는 생각이 들고, 왠지 자신감이 붙는 기분이었습니다.

또한 평소에 내가 암 환자라는 사실을 잊을 수 있도록 취미생활이나 정신집중 할 일을 찾기 시작했습니다. 바빠야 잡생각이 없어지니 더더욱 열심히 운동하고 움직였습니다. 아이쿱생협에서 활동가로 봉사하며 내 몸에 좋은 친환경 농산물을 만나는 일도 하면서요. 암 환자일수록 스트레스에 취약한 사람일 가능성이 높습니다. 발산하지 못하는 성격은 몸에 독이 됩니다. 좋아하는 일과 사람, 물건, 장소 등을 여러가지 만들어두면 내 마음을 치유하기 수월해집니다. 이제 끙끙대며 참다가 화병나는 일은 없도록 하자구요!!

또한 병원에 갈 때마다 제가 제일 좋아하는 예쁜 옷을 입었습니다. 예쁜 가방에 기분 좋게 하는 액세서리도 하구요. 병원가는데 웬 호들갑이냐 싶으시죠? 그렇게 가면 의료진들이 피도 덜 아프게 뽑는 것 같고, 더 친절한 것 같았어요. 기분도 한결 나아지고요. 또한 진료가 끝나면 맛있는 음식이나 좋아하는 조그만 물건을 기념으로 사서 집에 돌아왔습니다. 나에게 주는 즉각적인 보상이 있으면 병원에 가는 일이 조금은 수월해집니다. 진료 후 좋아하는 사람을 만날 약속을 잡는 것도 좋습니다. 부담스러운 진료와 좋아하는 일을 짝지어 스케쥴을 세팅해보세요.

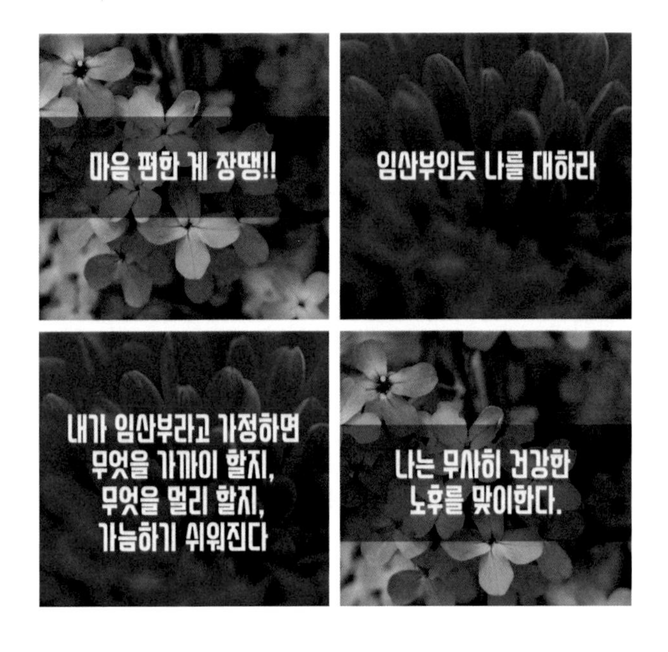

그동안 몸소 깨달은 가장 쉽고 확실한 건강관리팁

(1) 암 환자는 대부분 영양결핍이다. 필수영양소를 보약 먹듯 정성스럽게 먹자.

밥만 골고루 잘 먹으면 된다고 말하는 사람이 있는데, 전 그 말을 믿지 않아요. 14년동안 건강공부를 꾸준히 해왔고 국제건강관리사 자격증도 따면서 알게 된 건, 골고루 먹는 것보다 편식을 하는 것이 훨씬 좋다는 것입니다. 현미 야채 과일이 무조건 좋지는 않아요. 자신에게 유독 잘 맞는 (먹고 나서 소화가 잘 되는지 반응을 잘 살피세요!) 음식과 아닌 음식을 구별해서 섭취하는 것이 좋습니다.

또한 평소 한 끼에 다 섭취하지 못하는 영양소는 영양제로 보충해 주는 것이 좋습니다. 안전한 원료로 소화흡수가 잘 되는 영양제는 음식의 한 종류라고 봐도 무방합니다. 하루 권장섭취량보다 2배 정도 적극적으로 드셔보세요. 나에게 부족한 영양소가 무엇인지 모르니, 차고 넘치게 드셔서 자꾸 고갈되는 에너지를 보충하셔야 합니다.

(2) 수술 후 5년간 날음식은 섭취하지 않는다.

복강경으로 수술했지만 어쨌든 내 몸에 칼을 댄 것이므로 만약의 위험을 대비해 5년간 회나 육회 등 날음식을 섭취하지 않았습니다. 부산에서 태어나 신선한 회를 즐겨먹던 저에게는 고역이었지만, 이 또한 감염의 위험을 대비하기 위해 참았습니다. 담배는 원래 하지 않았고 술도 5년간 입에 대지 않았습니다.

제가 수술할 당시에는 고기를 입에 대지 않는 식단이 암환자에게 좋다고 해서 대유행이었지만, 기력을 보충하고 손상된 세포가 살아나려면 단백질은 꼭 필요하다고 봅니다. 고기와 생선 달걀 등을 적절히 섭취(한 끼에 자신의 손바닥 크기 정도)하시는 것은 여러모로 도움이 된다고 생각합니다. 오메가3나 MCT오일 아보카도유 올리브유 기버터 등의 좋은 기름도 세포막을 탄력 있게 만드는 데 도움이 된다고 믿어요. 좋은 기름 섭취는 너무 겁먹지 마시고 요리에 활용하세요. 영양제 섭취 시 오메가3도 꼭 추가하세요.

(3) 몸을 따뜻하게 하고 정상체온을 유지한다.

암 환자의 경우 영양결핍과 함께 체온이 1도 정도 낮다고 해요. 암 세포가 몸 속 영양분을 빠르게 빨아들여서 정상세포를 굶게 만들고, 낮은 체온은 암 세포가 살기 좋은 환경이 됩니다. 코로나가 창궐하던 때, 국민 모두가 체온을 재던 시절이 있었습니다. 저는 이 체온재는 시스템이 참 좋았는데요. 저의 평상시 체온을 항상 체크할 수 있었기 때문입니다. 몸을 따뜻하게 하고 정상체온을 유지할 수 있도록 항상 신경 쓰시기 바라요.

(4) 내 몸이 물병인 것처럼 자주 움직여라.

내 몸이 물병이라고 상상해보세요. 가만히 있는 물은 고이고 썩는다고 하지요. 림프부종이 심해서 오랫동안 고생한 결과 제가 터득한 팁은 자주 움직이는 것입니다. 한 가지 자세로 오래 앉아 있는 것을 조심하세요. 적어도 한 시간에 한 번은 자세를 바꾸고 몸을 환기합니다. 저는 카페에서 친구와 수다 떨때도 가만히 앉아있지 않아요. 의식적으로 물을 마시거나 영양제를 먹거나 자세를 바꾸거나 내 몸이 고이지 않도록 자꾸만 움직여 줍니다. 그렇게 하면서 오메가3를 꾸준히 열심히 먹어주면 림프부종이 훨씬 좋아집니다.

(5) 최종 결론: 임산부인듯 나를 대하라.

그동안 건강해지려 무던히 많은 노력을 해왔습니다. 시간 에너지 비용도 많이 썼습니다. 건강을 잃기 전에는 건강이 내 기본 옵션인 줄 알았는데, 아니었습니다. 그 사실을 깨달은 후에는 건강에 관해서는 비용을 아끼지 않았습니다. 그렇지만 건강관리라는 것이 그리 녹록지는 않더군요. 워낙 다양한 섭생법이 있고, 다양한 건강철학이 있어서 무엇을 엄선할지도 헛갈립니다. 지속가능한지를 고려하면 그렇지 못한 방법이 더욱 많았고요.

그러면서 한 가지 터득한 하나의 진실은.. 건강하게 살고 싶다면, '임산부인 듯 나를 대하라'는 것입니다.

임산부는 아무거나 먹지 않습니다. 정갈하고 안전한 것만 엄선해서 먹죠. 임산부는 술도 담배도 카페인도 섭취하지 않습니다. 몸가짐을 바르게 하며, 스트레스를 멀리 하려 애쓰잖아요. 주변 사람들도 임산부를 귀하게 대접합니다. 항상 보호하고 감싸며 좋은 것만 주려고 하죠. 그런 마음으로 나를 돌봐야 합니다. 내가 임산부라고 가정하면, 무엇을 가까이 할지, 무엇을 멀리 할지가 쉽게 정해집니다.

특히 암 진단 후 5년 동안은 정말 과하다 싶을 정도로 내 몸을 극진히 아껴주세요. 이보다 더 할 수 없을 정도로 정성껏 돌보세요. 그래야지만 더 아프지 않고 살 수 있습니다. 저는 여전히 암 환자의 그림자 속에서 살고 있습니다. 내원기간은 늘어났지만 1년에 한 번씩은 주치의를 만나 아무 일이 없는지 체크해야 합니다. 완치라고 해서 영원히 완치라는 보장은 없습니다.

이제 40대 후반에 들어서니 다시 아픈 곳이 늘어납니다. 대학병원에서 돌아야 하는 진료과도 늘어납니다. 하지만 암처럼 큰 병이 아니라 얼마나 다행인지요. 암에 비하면 다른 일들은 감사할 따름입니다. 물론 지금은 많이 나태해져 건강관리가 느슨해졌습니다. 하지만 14년 전, 극진히 나를 돌보았던 경험들이 지금의 내가 어떻게 살 것인지를 가리키는 지표가 되고 있습니다.

다시 팔에 수많은 링거를 꽂고 밤새 수혈을 받으며 수술 후 죽을 수 있다는 종이에 사인을 하지 않기 위해, 지금도 건강서적을 찾아 읽고 믿을만한 건강지식을 찾아헤맵니다. 건강에 대한 진실이 무엇인지는 잘 모르겠지만, 이제 어느정도 자신에게 맞는 섭생법이 무엇인지는 알 것 같아요. 여러분도 그렇게 자신을 알고 자신에게 맞는 건강관리법을 찾아내길 바라며 이 글을 마칩니다.

우리 모두 암의 무시무시한 그늘을 피해 만수무강하기로 해요!!

깨닫는 하루들

신수연

신수연

×

자연스러운 침묵.
감당할 수 있는 적정선의 관심과 무관심.
매 순간 다른 어제와 오늘.

침묵

내가 낯을 가리지 않는다고 생각했다.
처음 모르는 누군가를 만날 때면 그 사람을 관찰하듯 보면서 얘기를 한다.
그런데 문득 그렇지 않은 건 아닌지 의식해보게 되었다.
만남이 반복될 때 오히려 나의 감정을 들키지 않으려고 애쓰는 듯
눈 마주침을 어색하게 느껴 빠르게 피하려고 한다.
그 사람과 나눌 말이 딱히 떠오르지 않을 때는 괜히 안해도 될 말들을 던지며 그 순간을 모면하려고 애쓴다.
지나고 나서는 후회를 한다. 그렇게 안 해도 되었을 텐데. 그런 말들을 던지지 않았더라면 하고 말이다.
톡이나 문자로 소통하는 걸 편안하게 느낄 때가 있다.
단순하게 내가 말을 못한다고 생각을 했다. 통화나 대화를 순발력 있게 이끌어 가면서, 재치있는 대화를 이어가는 상대를 볼 때면 부러웠다.
나의 말에 재밌다고 얘기하는 사람들을 보면 그렇지도 않은 것도 같은데.

우연히 접하게 된 글귀가 내 마음에 닿았다. 침묵을 두려워하지 않아야 차분하게 좋은 생각을 떠올려 결 고운 말을 이어나갈 수 있다고.
마주하고 있는 그 사람을 두려워하기보다는 사실 대화 중 어느 정도의 그 침묵을 많이 낯설어 했다. 아무렇지 않은 척 대화를 이어간다는 것이 빨리 응대하면 되는게 다는 아니다. 특히 표현을 한다는 것 자체가 내 머릿속에서 걸러서 내 뱉는데까지 시간이 걸리는 일이다.
침묵에 익숙해야겠다.
침묵을 과정으로 생각한다면 조금은 서두르지 않고 더 나은 좋은 얘기를 더 건내 줄 수 있지 않을까.

치과

아이들 양치해주는 것이 어렵다.

내 에너지를 다 소진하고 마지막 남은 힘을 끌어다 써야 하는 느낌.

너무 힘이 들 때는 거르고 넘어갈 때도 있다.

아니나다를까. 첫째 이를 보면 정말 티가 난다.

젖병을 늦게 때서 우유 먹으면서 잠든 적이 많았다. 앞니는 치아 표면들이 삭아 있다. 내가 부끄러울 정도다.

어느날 양치를 못할 정도로 통증이 심해 치과를 결국 가게 되었다.

엑스레이 검사를 하고 보니 치아 사이로 충치가 생겨 어금니 두 개는 뿌리에 염증이 생겨있을 정도였다.

너무 심각하다는 걸 느끼는 것도 잠시. 겁 많은 첫째아이가 두려움으로 감싼 채 치료배드에 누워있는 걸 보니 너무 미안했다.

마취를 하고 치료 과정 중에 혹여나 손이 올라갈까 싶어서 잡아 주었다.

7세가 되어서 일까. 왠일로 아프다고는 하면서 크게 움직이지도 않고, 울지도 않고 꿋꿋이 치료를 잘 받았다.

마취가 3시간은 있어야 풀린다고 한다.

너무 미안하고 그냥 기특해서, 뭐든 다 해주고 싶다는 생각이 들었다.

"그래. 오늘은 유치원 쉬고 엄마랑 하고 싶은 거 하면서 시간 보내자."

어른이 되어도 치과는 병원 중에 젤 가기 싫은 곳이다. 그 치료 과정의 소리와 냄새와 그 통증은 무슨 노이로제 걸린 듯 온몸에서 반응이 온다.

그렇게 싫으면 안가도록 애쓰면 될 것을.

첫째의 치아를 생각할 때마다 미안하다. 다 내 탓이지 뭐.

이제 양치 잘 해야 겠지?!

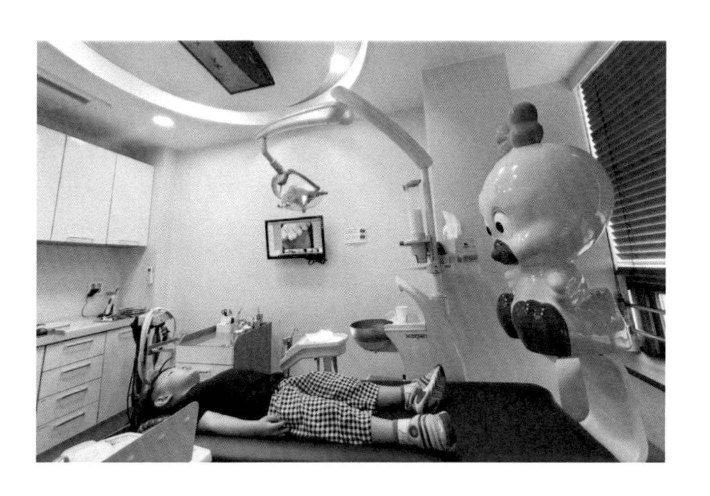

교육

미래의 어떤 목표가 있는 건 아니지만 일단 하고 봐야겠다 하고 종종 그냥 시도를 한다. 갑자기 교육을 듣게 된 것도 그렇다.

토, 일요일 주말을 다 써야 한다. 선착순인데다 금방 차서 공고 뜨자마자 신청을 했다. 교육 기간 동안의 주말은 남편이 아이들을 돌보기로 했다.

40분 거리를 운전을 해서 가야 했다. 타 대학교를 구경하는 기분.

대학교 강의실, 실습실, 교수님들.. PPT자료를 보며 강의를 듣고 필기를 하는 기분은 정말 오랜만이었다.

출석 체크를 하는 시간. 내 이름을 제일 먼저 부른다. "네."

왜 내 이름을 제일 먼저 부르는 걸까 했더니 면허번호 순이었다. 내가 젤 나이가 많았다.

첫날은 수업 내용도 너무너무 어려웠다. 전공책을 안본지 몇 년인지 싶다.

잠자는 내 머리 깨우는 느낌. 수업 내용이 어려우니 그 시간도 길게 느껴졌다.

토요일은 오후 3시에 시작을 해서 10시가 되어야 끝이 난다.

운전하고 오는 길이 어쩜 그렇게 차선이 안 보일 정도로 어둡던지.

수업 횟수가 지날 때마다 용어들이 익숙해지고 이해가 되면서, 공감대가 생긴 사람들과도 조금 친해졌다.

나이를 의식하지 않으려 하지만, 조금이라도 어리고, 이미 그 분야에 종사하고 있는 "그들만의 리그"에 내가 끼어든 건 아닌가 싶다가도 그렇게 살아 가는 얘기들을 들으니 나도 할 수 있겠다는 생각이 들었다.

종종 내 머리를 깨우는 건 필요하다. 정말.

보컬

시작한 지 얼마 되지 않았다고 생각했는데.

어느새 6개월이 넘어간다.

처음부터 필요한 건 선생님이 다 가르쳐 주셨다. 노래 연습을 하며 신경 써야 하는 부분들. 이런 방법, 저런 방법 나에게 맞는 방법을 찾아가라며 하나씩 계속 알려주셨다.

시간이 가능할 때 연습실을 가기도 하지만 코인 노래방을 그렇게 중간중간 갔다. 혼자만의 공간에서 소리 내는 거에만 열중하기엔 좋았다. 물론 목소리에 힘은 더 생겼다. 가성으로 부를 때는 진성일 때와 어떻게 다르게 목을 쓰는지 느끼며 소리를 냈다. 배우기 전에는 술 한잔 먹고 기분 좋아 오랜만에 노래방 갔다하면 다음날 목이 쉬었는데, 지금은 그렇게 맨날 불러대도 그렇진 않다. 목 상태에 조금 예민해져서 어떻게 하면 쉴 거 같은지 느낌이 조금 온다.

이제는 회식이 있을 때 노래 부를 일이 없으면 서운할 정도다.

그런데 그게 다가 아니었다.

최근 배웠던 곡들 중 한 곡 녹음을 하고 나서야 다시 깨달았다.

선생님이 알려 주었음에도 그런게 있구나 하고 이해만 할 뿐, 연습에 제대로 적응시키지 않으면서 소리 내는 법에만 신경을 써서 연습을 해왔던 거다.

박자며 호흡이며, 나의 솔직한 목소리를 들으니 조금 부끄러웠다. 녹음하는 중에도 사실 느꼈다. "나 잘 알아" 하는 그런 자신감은 사실 없었다. 시험공부 대충 했을 때의 그 불안감이라 할까.

배움에 있어서 성장하기 위해서 필요한 그 깨달음은 어느 정도의 시간이 지나야만 오는 건지.

많이 들어야 한다.

다시 연습실로 가야겠다.

어린이집 놀이

"연아야, 우리 어린이집 놀이 할까?"
하원 후 첫째가 동생에게 말을 건다.
"좋아." 그렇게 시작된다.
요즘 유독 자주 하는 놀이다.
둘째는 집에 와서도 어떤 놀이 할 때를 빼고는 어린이집 가방을 매고 다닌다.
첫째는 유치원에서 배웠던 또는 선생님들의 모습을 그대로 흉내내며 수업 진행을 한다.
"이제 책을 읽어 줄께요."
"네
"낮잠 잘 시간이예요"
"네~"
"간식 먹을 시간이예요. 오늘은 흑임자죽이예요."
"싫어요."
"어쩔 수 없어요. 흑임자죽 먹어볼까?"
"싫어요."
서로 마음이 맞지 않으면 다시 각자의 놀이로 빠져든다.
그러다가 동생 눈치 보던 첫째가 또 말을 건다.
"연아야, 우리 어린이집 놀이 할까? 소풍 놀이 하자."
"좋아."
"가방을 먼저 챙겨보자."
아이들 가방에 소풍 가서 놀 장난감이며, 장난감 음식들로 가득 채운다.

어느새 거실은 돗자리를 펼쳐 도시락을 먹는 소풍 날이 된다.

5 - 509 - 6

관심

오랜만에 전공 관련 수업을 듣다가 교수님의 한마디가 나와 관련된 얘기인 것 같으면 그렇게 감사하다. 내 속마음을 들킨 거 같다가도 생각해서 얘기해 주시는 것 같아 더 수긍하게 된다.

보컬이나 영어 공부를 할 때도 선생님이 내 목소리에 귀 기울여 듣고 기분까지 고려한 조언을 해줄 때 선생님은 선생님이라며 그 내공은 무시할 수 없다고 느낀다.

문득 나도 관심 받고 싶고 그런 관심을 좋아한다는 생각이 들었다.

선생님이 저번에 하셨던 얘기 잊어버리고 다른 얘기를 하시면 조금 서운하게 느껴질 때가 있다. 가르치는 학생들이 수십 명일 테고, 많은 사람들을 만나니 당연히 잊어버릴 수 있는 데다, 나도 기억하고 싶은 것만 기억하면서 말이다.

둘째가 생기면서 첫째와 둘째 사이에서 관심을 어떻게 표현해야 할지 늘 고민하면서 아이들에 대한 생각만 했다. 지나치지 않으면서 적절하게, 너는 귀한 존재임을 느끼도록 신경을 쓰고 있다.

사실 아이들 뿐 아니라 어른이 되어도 필요하다. 내가 관심을 받으면 기분이 좋아지듯 그렇게 필요로 하는 상대방도 받으면 관계가 따뜻해질 거다.

생각보다 사람들은 다 서로 관심이 없다. 갈수록 더 그런 것 같다.

나도 그렇게 무관심이 차라리 편한거야 하면서 누군가에 대한 기억을 잘 잊어버린다. 지나친 관심은 부담이라며 무관심 하려고 애써왔다.

생각해보면 누군가가 나에게 호감을 가지고 말을 걸면 반가우면서, 그의 감탄에 내가 하는 무언가를 더 열심히 하려고 한다. 적당한 거리의 관심은 또 다른 삶의 원동력이 되는 거다.

오늘은 가까운 가족들 뿐 아니라 내 주위 사람들에게 관심의 한마디 더 해야겠다.

어제와 오늘

아침에 눈을 떠서 맞이하는 아이를 보면 밤새 더 자랐구나하고 느낄 때가 있다. 다리가 길어진 듯한 느낌에 나에게 안기는 그 눈높이가 달라진 것도 같고,말 한마디 한마디가 어제보다 또렷이 들린다. 새로운 표현을 쓰기 시작하는 아이의 말을 따라하기도 한다. 최근 둘째는 기저귀를 떼었다 하라고 강요하지도 않았는데 그렇게 자연스럽게 하는 아이를 보면 마냥 신기하다.

두 아이가 서로 싸우지 않고 놀고 있으면 다행이고, 서로 각자 하고 싶은 걸 하고 있어도 다행이다. 어제와 다른 날씨를 느끼며 자연을 보고 그렇게 산책을 다녀와도 아이들은 한 뼘 더 자랐을 거라고 생각한다.

정작 나에겐 여유 없는 시선으로 바라본다.

해도 해도 티가 안나는 집안일, 아이들과 시간을 어떻게 보낼지, 매끼 무얼 먹일지, 싫은 소리 하지 않고 넘기면 무난한 하루를 보냈다 생각한다. 내가 하고 싶어서 붙잡고 있는 영어낭독이며, 노래 연습이며, 신문읽기, 한 번씩 쓰는 글쓰기 등 나의 일상이라 생각하며 놓치지 않으려 한다. 아이들의 병원 갈 일이나 어떤 소소한 사고들이 생기면 더 정신이 없다. 최소로 해야 하는 것만 생각하며 해내며 보내는 하루하루가 늘 바쁘다.

늘 바쁘게 보내는데 한 번씩 이게 맞을까라는 생각이 들 때가 있다. 영어며, 노래며, 글쓰기며 무언가 내가 자라고 있는지 의문이 들고, 내 시간이 부족하게만 느껴진다. 선택과 집중이 필요한 때일까. 육아에 집안일에 허덕이며 스트레스를 받아 가며 해야 하는가. 그저 똑같은 날의 반복은 아닐까.

그러던 때 신문을 보다가 내 맘에 박히는 한마디를 발견한다.

"반복되는 하루는 단 한 번도 없다."

"맑게 깬 정신으로 보면 우리가 살아가는 순간은 결코 되풀이 되는 법이 없는 것을." - 고진하 시인.

아이들이 유치원, 어린이집을 다녀오고 저녁을 같이 먹고 웃으며 놀다가 잠자리에 들면 오늘 하루 잘 보냈네라며 기특하게 여긴다. 아이들의 매일이 다르게 여겨지듯 나의 매일도 다르다. 한 뼘씩 자라는 아이들과 시간을 보내고, 그만큼 육아 스킬도 늘었다. 청소 요령도 생겼고, 내가 해야한다고 생각하는 것들도 해내고 있다. 나 역시 어제의 나보다 조금은 자라 있는 나로 하루를 보내고 있다.

"결코 반복이 없는 삶 앞에서 나는 경외의 마음, 모험과 설렘의 두근거리는 가슴으로 오늘도 길을 나선다."

광활한 우주 속에서 만난 '우리'

전세현

전세현

×

연극은 순간의 예술이라 불리기도 합니다. 공연이 시작하는 그 시간부터, 마지막까지 현존하다 순식간에 사라집니다.

이번 글은 연극 <커뮤니티 대소동>에 대해 기록했습니다. 2022년 3월 28일, 굳게 닫혀있던 극장 문이 열리는 순간 저는 제 일상으로 돌아왔지만, 극장 속 꿈같았던 순간을 영원히 잊고 싶지 않아 한 줄씩 글을 써 내려가기 시작했습니다.

빛이 없는 세계에 초대합니다.

연극 〈커뮤니티 대소동〉을 대표하는 문구였다. 시각이 차단된 채 관객들의 참여를 기반으로 이루어질 것을 안내하고 있는 이 연극에 대한 막연한 궁금증이 생겼다.

그 호기심으로부터 출발해 작품을 접하게 되었고 이전에는 느껴보지 못했던 생경한 감각들과 마주할 수 있었다. 캄캄한 어둠 속에서 일어났던 모든 일이 단순히 순간의 경험으로 사라지지 않기를 바라는 마음이 들었다.

2021년 국립극단의 〈창작공감: 연출〉 프로그램은 '장애와 예술'을 주제로 하는 세 편의 작품을 개발하였다. 본 프로그램은 동시대의 화두인 장애 예술을 다루는 연극의 창작을 지원하였고 당시 작품들은 장애인 예술가와 비장애인 예술가의 협업으로 이루어졌다.

그중 하나인 〈커뮤니티 대소동〉은 극장에서 시각장애 커뮤니티의 이야기와 함께 모든 세계를 받아들일 수 있는 관객들의 열린 마음과 적극적인 참여를 기반으로 하는 연극이었다.

어둠 속에 놓이는

극장 외부에서 티켓을 확인받는 그 순간부터 극은 시작된다. 관객의 자발적인 참여를 기반으로 하는 특성상, 작품에 대한 거리감을 제거하고 관객 스스로 열린 태도를 지니도록 하는 것이 무엇보다 주요했다. 따라서 공연은 섬세하게 구축된 사전 장치들을 통해 극적 세계에 적응하고 몰입할 수 있도록 한다.

빛이 없는 세계로 가는 첫 단계는 개별 부스로 들어가, '삐-빠'라고 외친 뒤, 자신의 별칭과 우주에서 듣고 싶은 소리를 말하는 것이다. 답변을 생각할 시간은 충분히 주어지지만, 녹음의 시간은 오직 7초뿐이다. 현실이 아닌 우주 속의 나를 상상해 드러내는 순간을 지나면, 우주로 가는 첫 관문을 통과한 셈이다.

녹음을 마친 뒤, 갑작스럽게 어둠과 마주할 시간이 찾아온다. 다음 부스에 입장하면, 점자와 숫자가 적혀있는 스티커를 통해 본인의 객석 번호를 부여받는 동시에 안대를 착용하기를 요구받는다. 그렇게 공연은 관객들을 완전히 빛이 없는 새로운 감각의 세계로 초대한다.

12

이제 누군가의 도움 없이는 극장에 발을 디디기 어려운 상태가 되고, 이 순간부터 극이 끝날 때까지 세상의 빛과 마주할 수 없게 된다. 진행 요원의 팔을 붙잡고 천천히 극장 내부로 들어선 뒤, 눈은 가려진 채로 발밑에 구멍이 크게 나 있는 양말로 갈아 신어야 한다. 눈앞에 놓인 캄캄한 어둠으로 인해 양말의 앞뒤를 구별하기조차 쉽지 않고 바닥과 발이 맞닿자, 차가운 바닥의 촉감은 생경한 느낌을 자아낸다.

빛이 없는 세계로 들어갈 모든 준비를 마치면 공연자와의 첫 만남이 이루어진다. 공연자의 목소리를 제외한 그 무엇도 알 수 없지만, 그에게 전적으로 의지해 극장 내부에 들어서게 된다.

공연자는 관객의 팔짱을 끼고 천천히 그를 이끌며 극장 바닥에 구축되어 있는 서로 다른 촉감을 가진 네 갈래의 길을 느낄 수 있도록 돕는다. 그리고 그 길의 감촉을 이용해 관객 본인의 좌석을 찾는 방법에 관해 설명한다. 이 모든 과정은 일대일로 진행되어 공연자와의 정서적 친밀감을 자연스럽게 형성한다.

지금, 여기에서,
함께 한다는 것

객석에 앉으면 개별 헤드폰을 통해 기다림을 주제로 한 공연자들의 이야기가 흘러나온다. 먼저 세상을 떠난 동생에 대한 기다림, 인생에서 다가올 순간순간을 매일 기다리는 것, 장애로 몸을 자유롭게 쓸 수 없어 누군가 도와주기를 기다렸던 경험들이 어둠 속에 놓인 관객들과 만난다. 담담하고 차분한 목소리가 공연자들이 살아온 삶의 이야기를 담백하게 전달한다. 이내 공연이 시작되고 안대를 벗자, 눈을 뜨고 감는 것의 구분을 없애버린 완전한 암흑과 마주하게 된다.

공연자, 관객, 그리고 자신의 모습까지 그 어떤 것도 보이지 않기 때문에 물론 두려움이 생기기도 한다. 그러나 동시에 모두가 그 어둠을 통해 타인의 시선으로부터 자유로워진다. 관객은 작품의 일부로서 극에 참여하며, 공간 내에서 각자만의 개별적인 경험을 형성하게 된다.

어둠 속에서 객석 앞에 본인을 찾아온 공연자들과 악수하며 그들의 존재를 감각적으로 느낀다. 그리고 앉아있던 객석을 떠나 우연히 타인을 만나면 손을 맞잡은 뒤, 오로지 신체의 감각으로만 첫인사를 나눈다. 어딘가에서 들려오는 내레이션과 함께 마주하고 있던 서로의 몸이 새로운 하나의 우주가 되기도 한다. 두 명씩 모두가 짝을 이루면, 각각 탐험가와 우주 역할을 번갈아 맡게 된다. 탐험가를 맡은 이는 발목과 어깨, 팔, 머리를 차례로 지나며 시각이 아닌 촉각을 이용해 신체를 천천히 탐색하는 경험을 한다. 이 모든 과정에서 장애와 비장애의 구분은 무의미하고 비장애인 중심으로 판단되던 정상성의 범주는 사라진다.

관객은 오로지 공연자의 목소리에 의지해 정해진 동작을 수행한다. 따라서 행동에 대한 설명을 언어로 풀어내는 것이 주요했는데 공연은 단순한 설명 대신 몸의 이미지를 직관적으로 떠올릴 수 있도록 하는 단어들을 사용했다는 점이 돋보였다.

동시에 정확한 지시를 담고 있지 않은 특수한 표현들도 사용되었다. 그 추상성에 각자가 내린 해석이 더해져 '샤르릉리'한 움직임과 '삐리빠라리까'한 에너지들을 새롭게 만들어냈다. 행동들을 완벽하게 해내는 것은 중요하지 않다. 서로를 보지 못하더라도 이곳에서 지금을 함께 하고 있다는 것, 수많은 우연을 거쳐 같은 시공간 안에 있다는 그 자체를 느끼고 있었기 때문이다. 그렇게 극장은 우리의 연결을 온전히 느낄 수 있는 우주가 된다.

어둠을 탐험하던 도중, '이제 당신의 자리를 찾아가세요'라는 안내가 들려오자 곳곳에서 탄식 소리가 들려왔다. 자신이 서 있는 위치를 전혀 알지 못하는 상황에서 바닥의 감각만으로 좌석을 찾아가기란 쉬운 일이 아니기 때문이었다.

어둠 속에서 길을 잃었을 때 박수로 위치를 알려준다면, 공연자들이 언제든 찾아가겠다는 말이 이어서 들려온다. 길을 잃은 것은 그 사람의 잘못이 아니다. 단지 처음 겪는 어둠이 익숙하지 않고 생소했기 때문이다. 자신이 앉아있던 좌석을 찾지 못했다고 해서 어떤 문제도 생기지 않는다. 그저 박수를 통해 내가 여기에 서 있다는 것을 알리기만 한다면, 이 어둠에 익숙하고 친숙한 이들이 나타나 의지할 수 있는 팔을 내밀어서 단번에 길을 찾아줄 것이기 때문이다. 그 믿음으로 인해 어둠 속 탐험은 보다 자유로워진다.

하지만 극장 밖 현실은 그렇지 못하다는 것을 알고 있다. 서로 다른 감각을 가진 이들이 함께 살고 있다는 사실을 잊고 있는 것처럼 보인다. 그 존재들이 자신의 자리에서 박수를 치고 목소리를 내며 우리가 여기 있다고 말하고 있지만, 그들을 외면한 채로 스쳐 지나가 버린다. 당연한 일이 누군가에게는 당연하지 않을 수 있다는 사실을 알아야 한다.

우리는 서로가 알지 못하는 세계에 대해 알아가기 위해 노력해야 한다. 각자가 익숙한 세계에서 길을 잠시 헤매면서 박수를 치고 있는 이들이 있다면, 팔을 내밀며 우리는 함께 할 수 있다.

관객은 객석 왼편에 놓인 소리 상자에 감정과 생각을 묻는 말에 대한 답을 남기기도 한다. 지금의 기분을 과일로 표현하기, 한 달 뒤에 오늘을 기억해 본다면 어떨지. 무엇도 보이지 않지만, 주변에서 조그마하게 들려오는 목소리들로 서로의 존재를 느낄 수 있다.

공연의 마지막에는 소리 상자에 녹음된 소리가 극장을 채우기 시작한다. 이어서 모두가 극장의 바닥에 눕자, 공연자들이 화음을 쌓기 시작한다. 이전과는 달리 행동에 대한 어떤 지시도, 설명도 들려오지 않는다. 그저 목소리로 내는 낮은 진동 소리, 멜로디를 만들어내는 목소리 등 서로 다른 목소리들이 쌓여갈 뿐이다. 이 모든 파편적인 말과 화음의 소리는 극장을 가득 메우고 우주 속 하나의 고유한 순간을 공동으로 만들어낸다.

연극 〈커뮤니티 대소동〉은 빛을 차단한 극적 공간을 통해 시각 장애인들의 세계를 표현적으로 전달하고 더 나아가, 관객이 그 세계의 일원이 되는 경험을 하도록 했다. 극은 마지막까지 정돈된 서사나 재현을 통해 명확한 메시지를 전달하지 않는다. 그저 무한한 가능성을 지닌 세계를 경험하도록 하며 스스로 사유할 수 있는 여지를 담겨 둔다. 극적 공간에서의 직접적인 체험을 통해 같은 세계 속에서의 따뜻한 공존을 감각적으로 느끼도록 했다.

오후 5시 55분, 매일 같은 우주 속에 존재했던 우리의 연결을 느껴보라는 말과 함께 극은 끝이 난다. 뒤를 돌아보지 말고, 이 순간을 온전히 기억한 채 극장을 떠나 달라는 당부도 이어졌다. 그 우연을 함께 했던 관객과 공연자 모두의 얼굴을 보지 못한 채 극장을 나온다. 한 명씩 극장 입구에서 안대를 벗고 그곳을 떠나 각자의 자리를 향해 떠난다. 갑작스레 밝아진 시야에 어둠이 가득했던 그 공간에서 경험한 모든 것이 아득하게 느껴졌다.

커뮤니티 대소동
연출.이진엽
작.공동창작
2022. 3. 30.-4. 10.
국립극단 소극장 판
"빛이 없는 세계에 초대합니다"

어둠 속에서 길을 잃었을 때, 어디선가 나타나 찬찬히 발걸음을 맞추며 바닥의 질감을 느껴주던 사람이, 홀로 불안하게 헤매었을 때, 따뜻하게 손을 잡아준 사람이 누구인지 알 수 없다.

하지만 매일 찾아올 오후 5시 55분, 서로 손을 맞잡고 온기를 나눴던 그 순간에 느꼈던 연결과 그들이 보여준 세계를 분명하게 기억할 것이다.

'어느덧 오후 5시 55분이 되었네요. 지금 당신의 몸과 마음은 어떤가요? 당신이 어디에 있든, 누구와 있든, 무엇을 하든 손바닥을 앞으로 내밀어 삐리빠라리까한 에너지에 집중하고 음~ 소리를 내며 빛이 없는 세계에서의 기억을 떠올려주세요. 계속 음~ 소리를 내며 우리의 연결을 느껴보세요. 좋습니다. 아직 연결되어 있네요.'*

* 공연 관극 다음 날 오후 5시 55분, 〈커뮤니티 대소동〉 창작진이 관객들에게 발송한 문자 내용

변치않는 사랑

최은식

최은식

×

"내가 세상 끝날까지 너희와 항상 함께 있으리라"는 말씀처럼 내 모습과 상관없이 사랑해주시는 그분을 찬양합니다

친구의 죽음을 통해 만난 예수님

어느 날 보고 싶었던 친구를 만나게 되었고 많이 아픈 걸 알게 되었다
친구를 만나고 보름 만에 다시 찾아 갔을 때에는 이미 이 세상 친구가 아니었다
 옆에 있었던 보호자를 통해 알게 된 사실은 백혈병으로 죽었다는 것이었다
보름전에 만났던 친구는 천주교에 다니고 나도 교회를 다니고 있었지만 죽음 앞에 서 있는 친구에게 아무런 해줄 말이 없다는 내자신이 초라하고 뒤돌아서는 발길이 무겁고 초라했다
23살 꽃다운 나이에 한 줌 흙이 되었다는 자체가 허무했다. 나도 그렇게 될 것인데…
 인생은 도대체 무엇인가?
죽음의 무게가 무겁고 버거웠다
어렸을 때부터 할머니와 작은아버지 그리고 고모와 엄마와의 잦은 싸움으로 인해 그분들에 대해 싫어하는 마음이 싹트고 미움으로 자라서 속에서 늘 화가 부글 부글거리고 불안한 유년기와 사춘기를 보냈다

예수님이 다른 죄는 다 씻어줘도 미워하는 죄는 씻어줄 것 같지가 않았다
왜일까? 매일같이 샘솟는 우물처럼 미움이 솟아 나왔기 때문이다
예수님이 십자가에 못 박혀 죽으시면서 우리 죄를 위해 돌아가셨다는 것을 모르는 사람이 있을까?
어느 날 복음을 듣게 되었다
예수님을 아는 것과 믿는 것이 천국과 지옥의 차이였다는 것을 깨닫게 되었다
나를 얽매였던 죄의 짐이 풀렸다
예수님 피가 나의 모든 죄를 영원히 씻어줬다는 사실이 믿어졌다
지금은 요양원에서 일하면서 어르신들에게 내 마음속에 계신 예수님을 얘기하면서 오늘도 작은 예수가 되어 행복한 하루하루를 보내고 있다

예수님을 믿으면서 인간답게 살고 싶어 하지
예수님처럼 살고 싶어하지 않는다
모든 소리는 다 들어도 내 인생에서 듣지 말아야 할 소리가 있다
“하나님이 역사하지 않아“ 그 소리를 절대 듣지 말아야 한다
하나님은 우리를 통해서 반드시 역사하신다
“하나님이 역사하지 않는다“라는 말을 마음에서 지워야 한다
보는 세계가 달라지고 들리는 게 달라지며
말하는 게 달라지고 행동이 달라진다
하나님이 일하지 않을 것 같은 생각이 마음에서
올라왔을 때 “하나님은 반드시 역사 하셔“ 하고 반격을 해야 한
다
어려움이 축복으로 슬픔이 기쁨으로 불행이 행복으로
보인다

네가 나를
믿느냐
네 믿음대로
될지어다

하나님이
우리에게 내린 저주

하나님이 우리에게 내린 저주는 무엇일까요?
전쟁, 기근, 자연재해, 사망, 사고, 질병일까요?
아뇨! 이것들을 통해서 마음이 낮아져서
하나님을 찾고 만나게 되니 복입니다
그럼 무엇일까요?
하나님이 살아계신 것을 믿지 않는 것과
성경 말씀을 아무리 얘기해도 들리지 않는 닫힌 귀와
하나님이 주신 복이 너무 많은데 마음이 메말라서
감사할 줄 모르는 마음입니다

변함없는
사랑

돈으로 살수 없는 것들

돈으로 호화로운 집을 살수 있으나
행복한 가정은 살수 없고
돈으로 책은 얼마든지 살수 있어도
 결코 삶의 지혜는 살수 없고
돈으로 쾌락을 살수 있으나
마음속 깊은 곳 기쁨은 살수 없고
돈으로 화려한 옷은 살수 있으나
참된 아름다움은 살수 없고
돈으로 명품은 살 수는 있으나 평안을 살 수는 없고
돈으로 성대한 장례식은 치룰 수 있으나
행복한 죽음은 살수 없다
돈 있다고 행복한 거 아니고 돈이 없다고 불행한 거 아니고 얼굴이 잘 생겼다고 행복한 거 아니고
얼굴이 못생겼다고 불행한 거 아니고 믿음을 가진 사람이 행복하다

너는
범사에
그를 인정하라
그리하면
네 길을
지도하시리라

잠언 3장 6절

행복 색맹에 걸린 사람과
불행 색맹에 걸린 사람

운전면허증을 발급 받을 때 적색 색맹과 녹색색맹에 걸린 사람들에게 운전면허증을 주지 않는 이유는 큰 사고로 이어지기 때문에 운전면허증을 주지 않는 것처럼
사람들 중에도 행복 색맹에 걸린 사람이 있고
불행 색맹에 걸린 사람이 있다
내가 "옳아","잘났어" 하는 사람들은 행복이 옆에 와
있는데 행복이 안 보인다. 불행 색맹에 걸렸기 때문이다
배부른 사람에게는 밥맛이 없는 것처럼 말이다
"내가 틀렸어","부족해"라는 것을 발견한 사람은
 하나님이 만 가지 행복한 조건들을 누릴 수 있도록 해 놓으셨다
하나님이 아무리 많은 축복을 줘도 "내가 옳다고 하는 생각을 가진 사람에게는 그 눈을 가려 놓고 축복을 볼 수 있는 눈을 안 주시고 내가 얼마나 무능하고 악한 사람인 것을 깨닫게 하신다

예수와 함께

마음의 백혈병 환자와 루푸스 환자

수많은 백혈구 중에 할 일이 없는 백혈구가
공격 대상을 바꾸어서 내 몸을 공격하는 것을
자가면역질환 환자라고 한다
사람들은 살면서 아무 어려움이 없어야 되고 아무 문제도 없고 아무 힘든 일도 없고 편안한 것만 바란다
백혈병 환자가 병균이 없는 무균실 안에 사는 삶은 편안한 게 아니라 불쌍한 삶인것처럼 세상에 그런 삶은 없다
인생을 살다 보면 어려운 일도 있고 슬픈 일도 있고 배신을 당할 수도 있고 고통스러운 일도 있고 욕도 먹는 일도 있고 상처도 받을 수도 있고 끊임없이 어려움이 시작한다
우리 마음에 백혈구가 건강하면 수많은 병균이 있어도 백혈구가 다 잡아 버려서 건강하게 살수 있는 것처럼
산더미와 같은 문제와 어려움이 있지만 마음에
예수그리스도를 믿는 믿음이 있다면 어떤 어려움과 문제를 다 해결해 주신다
왜 나한테만 이런 문제만 오지, 힘든 일만 오지
다른 사람은 안 그런 것 같은데…
제발 이런 일이 없었으면 어려움이 없어지길 바라는 사람은 백혈병 환자가 무균실에서 살고 싶어 하는
사람인 것이다

저가
한 제물로
거룩하게
된 자들을
영원히
온전케
하셨느니라
히브리서 10장 14절

최은식인 이슬

눈물로 진주를 빚는 예수님

시편 119편 67절

고난 당하기 전에는 내가 그릇 행하였더니 이제는 주의 말씀을 지키나이다

사무엘하 7장 14절

나는 그 아비가 되고 그는 내 아들이 되리니 저가 만일 죄를 범하면 내가 사람 막대기와 인생 채찍으로 징계하려니와

예수님을 만난 후에도 "내 인생은 나의 것" 하며 살았다

나와 예수님은 안 맞아도 너무 안 맞았다

시골에서 아들이 7살 때에 경운기 앞바퀴가 배 위로 지나갔지만 아무런 후유증없이 살려주시는 걸 보면서 정신이 퍼뜩 들었다

"정신 차려야지"하지만 어느새 예수님과 상관없이 살수 밖에 없었다

여러 가지 어려움과 문제들을 만나고 내 힘으로 안되고 해결할 수 없는 일들을 만나면서 내 모습과 상관없이 예수님을 의지했을 때 얽혀있던 실타래가 풀리듯 풀리는 것 보면서 감사가 저절로 나왔다.

어렵고 힘들었을 때 만났던 예수님이 내 마음속에 값진 진주가 되어 있다

눈물로 진주를 만들어 가시는 예수님을 찬양한다

너희에게
무슨 말씀을
하시든지
그대로 하라
요한복음 2장 5절

예수님으로 말미암아 의인이 된 나

로마서 3장 23절~24절

23절) 모든 사람이 죄를 범하였으매

하나님의 영광에 이르지 못하더니

24절) 그리스도 예수 안에 있는 구속으로 말미암아 하나님의 은혜로 값없이 의롭다 하신을 얻었느니라

예수님 마음과 내 마음이 하나가 됐다는 얘기는 예수님이 십자가에 못 박혀 죽으시면서 우리 죄를 다 사해줬는데 죄인이라고 한다면 그거는 예수님을 모욕하는 죄이고 예수님이 우리 죄 때문에 십자가에 못 박혀 죽은 죽음이 실패했다는 얘기입니다

내가 설거지를 깨끗이 해놨는데 더럽다고 다시 설거지하는 것과 같습니다

동행일지

달보드레

달보드레

×

어릴 적 유난히도 운동을 좋아하던 아이.
재미로 시작한 축구가 이제는 축구 선수라는 꿈을 안고 조금씩 나아가는 중이다. 그 길이 절대 쉽지 않다는 걸 알지만 우리 부부는 아이를 응원해 주기로 했다.

동행일지 1

어릴 적 유난히도 운동을 좋아하던 아이.
재미로 시작한 축구가 이제는 축구 선수라는 꿈을 안고 조금씩 나아가는 중이다. 그 길이 절대 쉽지 않다는 걸 알지만 우리 부부는 아이를 응원해 주기로 했다.

운동하러 가기 전 나는 마음이 괜히 바쁘다.
이동 중 간단히 먹을 간식 준비와 하교 후 시간 맞춰 데리고 50분을 달려 운동장에 도착.
이 생활도 어느덧 2년이란 시간이 흘렀다.
친구들과 함께 뛰는 순간만큼은 더없이 행복해 보이지만 가끔 힘들어하는 모습을 보면 짠하지만 그래도 참고 달리는 모습이 참 대견스럽다.
여름이면 강한 햇볕 아래 뛰느라 발바닥은 불이 나고
추운 겨울이면 칼바람에 볼이 아플 만큼 빨개진다.
앞으로 이 계절을 몇 번 더 만나야 꿈이 이루어질지 모르겠지만
꿈을 이루는 그날까지 우리 힘내 보자.
그리고 동행이 끝나는 그날 우리 함께 멋지게 웃어보자!

동행일지 2

프로팀 경기가 있는 날.

당일 비 소식에 직관이 망설여졌지만, 다행히 비가 그쳐 우리는 경기장으로 향했다. 예전과는 사뭇 다른 경기장 분이기에 나는 깜짝 놀랐다. 이미 경기장 안은 많은 사람들로 가득 찼고 응원의 함성과 함께 경기는 시작되었다. 후반전 45분이 끝나가고 있을 무렵 이런 생각이 들었다.

지금 뛰고 있는 선수들도 힘든 과정을 다 견디고 이 자리에 있는 만큼 내 아이도 지금은 힘들지만 잘 견뎌내며 축구선수의 꿈을 꼭 이루었으면 하는 간절한 마음이 들었다. 결과보다는 과정을, 눈앞에 있는 나무를 보지 말고 숲을 보는 마음을 갖기를 바라며 힘들지만, 지금을 즐기고 멋진 모습으로 성장하기를 바란다.

널 믿고 힘차게 달려보자!

동행일지 3

아빠와 단둘이 경기장 가는 날.
모처럼 혼자만의 짧은 자유 시간이지만 달콤하다.
엄마와 늘 함께하는 길을 오늘은 아빠와 동행 하니 신이 난 모양이다. 둘은 현관문을 나서고 드디어 혼자만의 시간이다.
홀가분할 것만 같았던 기분이 아닌 왠지 허전함이 느껴진다. 매일 함께하는 아이를 막상 아빠랑 보내고 집에 있으려니 걱정도 되고 한편으로 경기를 잘하고 있는지 궁금도 했다. 해가 지고 나서야 느지막하게 집으로 돌아온 부자.
표정을 보아하니 아빠와의 재미난 시간을 보내고 온 듯하다. 가만 생각해 보면 늘 걱정과 고민은 내 몫이었다.

네 곁에서 엄마는 늘 항상 응원할게!

서울 신답
77

동행일지 4

올해 들어 첫 폭염 주의보.
본격적인 무더위로 여름이 왔음을 몸으로 느낄 수 있는 오늘이다.
오후 4시. 차 안에 찍힌 바깥 온도는 무려 37도.
가만히 앉아만 있어도 등줄기로 땀이 흐른다. 오늘처럼 아무리 더운 날씨에도 아이들은 변함없이 운동장을 달린다. 그 모습을 보고만 있어도 어느 순간 나는 숨이 턱 끝까지 차오르는 것만 같다. 까맣게 그을린 얼굴 사이에 보이는 환한 미소가 폭염도 잠재우는 듯하다.
초등 6학년.
놀고 싶은 것도 하고 싶은 것도 많은 나이.
그러나 꿈을 위해 순간순간 포기해야 할 것도 많지만 그것 또한 잘 참고 견뎌낸다.
지금 겪고 있는 과정은 분명 너의 삶에 있어 자양분이 되지 않을까 생각해 본다.

오늘 하루도 고생 많았어.

동행일지 5

경기장 가는 길.
아침부터 비가 내려 서둘러 길을 나섰다.
비가 내리는 탓일까? 거북이처럼 느릿느릿 좀처럼 속도가 나질 않는다. 도착 예상 시간은 점점 늘어나고 아이와 나는 초긴장 상태가 되었다. 결국 집합 시간보다 30분가량 늦게 도착하게 되었다.
허겁지겁 챙겨 아이 먼저 들여보내고 나는 긴장했던 마음을 추스른 후 경기장으로 들어갔다.
아이도 긴장이 풀리지 않았던 탓인지. 좀처럼 활발한 움직임이 없어 보였다. 경기가 끝나고 밖으로 나온 아이 역시 말하지 않아도 오늘 경기가 별로라는 걸 아는 듯했다.
결국 정신력이 중요하다는 사실을 다시 한번 느낀 순간이다. 어느 상황이 놓여 있든 간에 그 순간만큼은 흔들리지 않는 정신력.
그래 이 또한 경험이다.

비 오는 오늘도 수고 많았어!

동행일지 6

일주일을 시작하는 월요일.
오늘 유난히 일어나기 힘든 날이다. 아침부터 바쁜 일정에 마음마저 조급해지기 시작했다. 언젠가부터 시간에 쫓기듯 조금만 늦을 것 같아도 내 심장은 쿵쾅쿵쾅 요동치는 동시에 아이마저 옆에서 재촉하면 이미 정신은 반쯤 나가게 된다. 주말도 평일과 다름없이 지내는 요즘 그래서 더 힘들지 않았나 싶다.
일주일이 너무 빠르게 지나간다.
하루하루가 월요일 같지만 유독 힘들게 느껴지는 오늘이다. 이런 나와 다르게 아이는 오늘도 열심히 훈련에 임하고 있다. 훈련이 끝나고 집으로 돌아오는 차 안은 온통 너의 발냄새 땀 냄새로 가득. 이제는 적응할 만도 하지만 아직 나에게는 더 시간이 필요할 것 같다.
오늘도 열심히 훈련한 흔적이라 생각할게!

수고했다 아들아~

동행일지 7

사춘기 알람이 울리기 시작했다.
"엄마"하고 부르며 걸어 나오는 꼬맹이가 언젠가부터는 옆집 형이 방문을 열고 나오는 듯하다.
귀요미 시절 어린아이 같은 모습은 온데간데없이 사라지고 이제는 나보다도 키도 크고 힘도 제법 세졌다. 최근 들어 짜증이 부쩍 늘고 도전적인 말투, 예전과 다른 행동으로 나와 부딪치는 일들이 하나둘 생기기 시작했다. 가끔은 이해 할 수 없는 행동들로 당황스러울 때도 있지만, 이 질풍노도의 시기가 무탈하게 지나가길 바랄 뿐이다. 이럴 땐 모른 척해주는 것도 예의라고 하는데 과연 이 동행도 무사히 끝날 수 있길 바래본다.

〈책만들기파워업 27기〉

함께 할 수 있어서 감사합니다

해피피치

신수연

전세현

최은식

달보드레